Y POR
SU LLAGA
FUIMOS
NOSOTROS
CURADOS...

YIYE AVILA

EDITORIAL Carisma

Publicado por
Editorial **Carisma**
Miami, Fl. 33172
Derechos reservados

Nueva edición 1995

Cubierta diseñada por: Alicia Mejías

Producto 550050
ISBN 1-56063-634-3
Impreso en Colombia
Printed in Colombia

CONTENIDO

Capítulo 1

PROMESAS DE SALUD PARA LOS HIJOS DE DIOS

Es nuestro propósito analizar un tema importante y decisivo para el pueblo de Dios en relación a la sanidad divina. Tú sabes que lo más que usa el diablo para atacar al pueblo de Dios son las enfermedades, pero el pueblo de Dios tiene que conocer en forma detallada y profunda lo que ha recibido de arriba, del cielo para mantenerse sano y avergonzar al diablo en todos los frentes.

PROMESAS DE SANIDAD EN EL ANTIGUO TESTAMENTO

Comenzamos en el libro de Exodo, capítulo 15, verso 26. Aquí encontramos la promesa más antigua que hay en la Biblia en relación con la sanidad divina. Fíjate que es promesa hecha al pueblo de Israel poco tiempo después de haberlo sacado de la esclavitud en Egipto. Dice la Palabra:

> *Y dijo: Si de veras oyeres la voz de Jehová tu Dios, e hicieres lo que es recto delante de sus ojos, dando oídos a sus mandamientos y guardares todos sus preceptos, no enviaré sobre ti ninguna de las plagas que envié sobre los egipcios porque yo soy Jehová, tu sanador.*
>
> Exodo 15:26

Fíjate que hay una promesa ahí al Pueblo de Israel. Israel era la Iglesia en el Antiguo Testamento. Nosotros somos la Iglesia ahora en el Nuevo Testamento y a esa Iglesia le dio una promesa ahí muy clara: *"Yo soy tu sanador"*.

Fíjate que es algo personal entre Dios y su pueblo. El quiere ser el médico de su pueblo, el pueblo de Dios es una propiedad privada, exclusiva de Dios y El es muy celoso con esa propiedad y quiere ser responsable de cuidar y guardar a ese pueblo. Dios realmente se siente contento y gozoso cuando nosotros sentimos eso y venimos a El y dependemos de El para todas las cosas.

ANHELA SERVIR A DIOS

Naturalmente que hay ahí ciertos requisitos muy importantes y entonces El es el sanador. ¿Para quién? Para los que están dispuestos a guardar Su palabra y todos Sus mandamientos, todos Sus preceptos, para esos que oyen con sinceridad, con profundo cuidado y reverencia Su palabra. Para esos, El promete ser Su médico. Gloria al nombre de Jesucristo. Es decir, que todo el que es creyente, que realmente se ha convertido al Señor, que profundamente anhela servirle a Dios de corazón y en todo agradarlo, tiene una promesa de que El quiere ser su médico único y exclusivo.

Bueno, eso es un privilegio grande. Nunca trataremos, ni de avergonzar, ni de desprestigiar la ciencia de la tierra, ni a los médicos, pues algunos son tan sacrificados y tienen tanta sinceridad para los enfermos, pero tienen sus limitaciones, y no hay doctor en medicina que no acepte esto de que tiene limitaciones. Ellos no lo pueden todo. Se equivocan. Hay cosas que son imposibles para ellos. Pero, este médico de quien estamos hablando, con El todo es posible. Ahí no hay limitaciones, ahí no hay fallas, ahí no hay engaño de ninguna clase. Todo con El es posible y fácil para los que creen.

Ahí vendríamos a una pregunta muy importante, que no la vamos a contestar ahora, pero la vamos a dejar en el ambiente para que sean ustedes quienes la contesten al final del estudio.

¿Será entonces necesario que nosotros los creyentes de Jesucristo vayamos a la ciencia médica a buscar sanidad para nuestros cuerpos? Luego van a dar una contestación a esta pregunta.

PROMETE QUITAR TODA ENFERMEDAD DE EN MEDIO DE TI

Pasamos a Exodo, capítulo 23. Tomamos ahora el verso 25 que dice:

> *Mas a Jehová nuestro Dios serviréis, y él bendecirá tu pan, y tus aguas, yo quitaré toda enfermedad de en medio de ti.*
>
> Exodo 23:25

Observa el principio; es prácticamente una repetición del primer versículo, "Vosotros serviréis a Jehová vuestro Dios". Quiere decir que las promesas, según vemos hasta ahora, no son para los pecadores, ni son para aquellos que se llaman evangélicos que no hacen nada para Dios, tampoco son para las personas que no les sirven al Señor. En forma sencilla: "Si ustedes me sirven, bendeciré tu pan, tu agua y quitaré las enfermedades". Eso está prometido ahí, no es promesa del hombre, es promesa del Dios que creó los cielos y la tierra. Acuérdate que dice la Biblia, que El es fiel y verdadero. Ahí no hay falla, ni engaño de ninguna clase.

NO HABRA MUJER ESTERIL NI QUE ABORTE

Esa promesa añade algo muy importante que tiene su relación con la sanidad divina, dice:

> *No habrá mujer que aborte, ni estéril en tu tierra; y yo completaré el número de tus días.*
>
> Exodo 23:26

Esto tiene que ver con la sanidad divina. Hay mujeres que se enferman y abortan, o tienen un accidente, o a lo mejor el sistema interior no es perfecto, no está normal y abortan, pero el Señor dice ahí claramente que eso es parte de la promesa: "En tu tierra no habrá mujer que aborte ni que sea estéril". Es decir, que si la mujer es estéril, El la sana. Y si hay peligro de abortar, El es responsable de sanarla e impedir el aborto. Si está a punto de morirse, El dice: "Completaré el número de tus días". Completar sus días quiere decir que, debes vivir de 70 a 80 años, no menos porque esa es la promesa para esta dispensación, 70 a 80 años.

Todo aquel que tiene fe y sabe que está viviendo para Dios, que diariamente en sus oraciones se pone delante de Dios y abre su corazón y dice como David: "Si encuentras alguna iniquidad en mí y alguna maldad en mí que aún yo desconozca, muéstramelo para quitarla"; cuando estamos abiertos para vivir limpia y santamente para Dios, Dios tiene que cumplir eso, porque es Palabra de El. El está obligado a Su palabra y automáticamente eso quiere decir que el que es sincero con Dios, fiel a Dios, vive para Dios y guarda la Palabra, Dios está obligado a eso. Sea bendito el nombre del Señor. Porque El es fiel a Su Palabra.

RECLAME SUS PROMESAS

Tú puedes reclamar con confianza y hacer como dice el profeta Isaías. Isaías dice:

> *Preguntadme de las cosas por venir; mandadme acerca de mis hijos, y acerca de la obra de mis manos.*
>
> Isaías 45:11

Ahora, ¿quién le puede demandar a Dios? Bueno, eso es cosa seria, pero El dice que lo hagamos. Los que le sirven guardan Su Palabra, porque El les ha prometido muchísimas cosas y tiene que cumplírselas. La Biblia dice que Dios está detrás de todas Sus buenas promesas para cumplirlas y que El no será tardo en poner por obra Su Palabra, quiere decir, que esas promesas nos hacen creer a nosotros, que confiamos, que El es nuestro sanador, y no fallará; y atenderá a la estéril, y a la que está a punto de abortar, y al que está por morirse antes de tiempo.

COMPLETARA EL NUMERO DE TUS DIAS

El diablo viene a matar, viene a robar y viene a destruir, pero Dios prometió, "completaré el número de tus días". Sin embargo, teniendo promesas tan extraordinarias como esas, ustedes ven cuantas personas en el pueblo de Dios se mueren a los cuarenta, a los cincuenta y a los sesenta años; no han completado sus días. Quiere decir que a lo mejor no hay conocimiento de lo que Dios ha prometido, o no están viviendo la vida que Dios demanda y que les hace acreedores a esas promesas; pero si hay fe y tú estás viviendo la Palabra, no hay poder del diablo que te pueda robar a ti eso, porque lo ha prometido el Dios de nosotros.

UN PRECIOSO NIÑO

En Puerto Rico había un joven que me ayudaba mucho en el ministerio y su esposa, muy joven también, participaba ayudándome. Ella había estado encinta dos veces y había perdido los niños las dos veces. Cuando quedó encinta la tercera vez, me dijo:

—Mi esposa está encinta de nuevo.

—¿Le vas a permitir al diablo que te robe el tercer niño? —Le prengunté. Se puso muy serio:

—¿Por qué me dice eso? —me dijo.

Le busqué la Biblia y le leí.

—Mira lo que dice aquí, "que en tu tierra no habrá mujer que aborte", por lo tanto, si ha abortado dos veces es porque el diablo le ha matado el niño, porque Dios a nosotros nos prometió, y El es fiel. Tú le sirves a Dios, ¿por qué no reclamas lo que El prometió?

Se fue y trajo su esposa a casa.

—Vamos a orar a Dios —me dijo.

Oramos, reclamamos a Dios y reprendimos con autoridad aquel demonio criminal. Cuando terminamos de orar:

—Sentí algo que se me desprendió del vientre y se fue —ella me dijo.

—El diablo que te mató los otros dos niños, a éste no te lo podrá matar —le dije.

A los nueve meses nació un niño precioso que gritaba y lloraba, para la gloria del Señor.

Fiel es el que prometió, dice la Biblia, pero hay un ladrón que le quiere robar a uno todo lo que Dios te ha dado. Si tú te lo dejas robar, te lo roba. Un hermanito puede venir a ti lleno de amor y regalarte un par de zapatos, o cualquier otra cosa y tú sales por ahí afuera y viene un ladrón y te lo roba. Si tú te lo dejas robar, pues te robaron, pero tú no puedes decir que el hermanito no te dio el regalo que el ladrón te robó. Así le pasa al pueblo de Dios que muchas de las dádivas y promesas de Dios se las dejan robar de Satanás.

JESUS PERDONA TODA INIQUIDAD

Pasamos al Salmo 103, verso 3. Dice la Biblia:

> *El es quien perdona todas tus iniquidades, el que sana todas tus dolencias.*

Fíjate que hay una doble promesa ahí; es muy importante considerar las dos cosas. Estamos en el estudio de sanidad divina, pero, ¿por qué consideramos lo primero? Mira bien por qué. El es quien perdona todas tus iniquidades, no importa el pecado que sea, tú vienes al Señor a que te perdone y si setenta veces viene el hermano arrepentido de corazón, esas mismas veces tiene Dios que perdonarlo. Si Dios nos reclama a nosotros que perdonemos setenta veces siete, pues mucho más El, que tiene más amor que nosotros.

JESUS SANA TODA DOLENCIA

Ahora, dice la Biblia: "El que sana todas tus dolencias". Si te enfermas setenta veces siete, ven al Señor que tiene que sanarte setenta veces siete también. Es lo mismo porque el que llevó el pecado, también llevó la enfermedad. El cuerpo que en la cruz llevó el pecado, llevó la enfermedad, por lo tanto, si tú tienes fe para cuando fallas, venir al Señor y decirle, perdóname, ten fe para cuando viene el diablo y te pone una enfermedad, decir: "Aquí estoy para que me sanes". Sí, porque tenemos más fe para pedir perdón por el pecado que cometimos que para la sanidad. ¿Qué es lo que pasa? Si cuando hay un pecado, o hay una falta, venimos al Señor y lloramos, y el Señor nos perdona instantáneamente, ¿por qué cuando viene la enfermedad corremos para el médico? ¿Por qué entonces no vamos al Señor también? ¿No es acaso lo mismo? Es la misma promesa.

Observa lo que dice arriba, en el verso dos del mismo Salmo. *Bendice alma mía a Jehová, y no olvides ninguno de sus beneficios, Salmo 103:2.* Habla: como diciéndonos, no te olvides que el que perdona soy yo, pero tampoco olvides de que el Sanador de mi pueblo, soy yo. Sin embargo, multitud de cristianos, si pecan, se tiran al piso a gritar delante de Dios por eso, pero y por qué cuando se enferman no se ponen a gritar también delante de Dios y se levantan sanos dando: ¡Gloria a Dios! y reprenden un diablo mentiroso y traidor. Quiere decir que falta fe.

NO TE ATEMORICES

Cuando uno peca, tranquilo viene a Dios, pero cuando se enferma, le da temor: "¿Y si me muero?" Si te mueres te vas para el cielo con el Señor. Da gloria a Dios. ¿A qué le tienes miedo si tienes a Cristo? ¿No dice la Biblia:

> *No temas, porque yo estoy contigo; no desmayes, porque yo soy tu Dios que te esfuerzo.*
>
> Isaías 41:10

No es que te las va a dar, es que te las dio ya. "Yo te he dado fuerzas, Yo te ayudo", y dice: "Yo te sostengo con la diestra de mi justicia". Cuando viene la enfermedad no te atemorices, piensa que hay alguien que te dijo: "Yo soy tu sanador, yo quitaré toda enfermedad de en medio de ti; yo soy el que sana todas tus dolencias". Empieza a hablar eso y repítelo, apréndete de memoria las promesas de sanidad divina.

RECIBE FE — HABLA LA PALABRA

Si hay tanta gente que se sabe de memoria muchas cosas, apréndete de memoria la Palabra de Dios, que con esa *espada* es que tú peleas contra el diablo. Esa es la *espada* del Espíritu, dice el apóstol Pablo. Tú tienes que tener la *espada* en la mano, si es que estás vestido con toda la armadura. Hay gente, en el mismo pueblo de Dios, que sabe de memoria muchas cosas y no sabe la Palabra. Apréndete de memoria versículos de la Biblia que son instrumentos de poder, de autoridad, de defensa para ti, rechaza los dardos de Satanás y cuando venga un síntoma, aunque sea un dolor de cabeza, un estornudo, no esperes ni un minuto, empieza a hablar la Palabra inmediatamente.

Quiere decir que con la *espada* tú vas cortando al diablo, vas dándole por todos lados según tú hablas y repite la Palabra, recibes fe, la fe viene por el oír la Palabra. Así vas sintiendo más confianza y de momento tú dices: "Dios me sanó", y sigues andando tranquilo. Esa es la fe en la que tenemos que movernos los cristianos . No te olvides que este asunto es más peligroso de lo que tú crees, porque dice la Biblia, que sin fe es imposible agradar a Dios; no dice que es difícil, dice: "Es imposible". Porque en el momento en que tú empiezas a llenarte de temor y a titubear, tú estás dudando de la veracidad de Dios. Tú estás dudando de la sinceridad de Dios y del poder de Dios y declarando: "A lo mejor Dios puede fallar y Dios a lo mejor puede mentir, o a lo mejor no me sana, o a lo mejor me deja enfermo, o a lo mejor me muero". El Señor que está al lado tuyo, El, que está ahí bien cerca de ti, qué triste se pone al ver que tú dudas de El. El es el sanador de Su pueblo.

De acuerdo a lo que hemos visto hasta ahora, no me contestes la pregunta, pero déjala en tu corazón. Haz como

María, medita en tu corazón. De acuerdo con lo poco que has oído hasta ahora, ¿será necesario que nosotros, los creyentes que tenemos a Cristo, que sentimos la presencia del Señor, que sentimos ríos de agua viva y sabemos que no es un cuento de hadas, sino una realidad que tenemos a Dios dentro de nosotros y nuestro nombre escrito en el cielo, será necesario que vayamos a los médicos de la tierra, a que nos receten y nos traigan la sanidad? Piénsalo, medítalo y después me contestas.

Capítulo 2

PROMESAS DE SANIDAD EN EL NUEVO TESTAMENTO

Pasamos ahora al Nuevo Testamento. Vamos a ver en el Nuevo Testamento si lo que hemos visto en el Antiguo Testamento es todavía la realidad para esta época. En Mateo 8:17 vemos la situación, muy conocida por nosotros, cuando la suegra de Pedro estaba con fiebre, y el Señor llegó a la casa y cuando la vio con fiebre, dice que apenas la tomó de la mano, la fiebre la dejó. Se levantó la suegra de Pedro y estaba tan contenta porque se le había ido la fiebre, que se puso a servirles. Preparó algo para el Señor y los que venían con El.

QUITO NUESTRAS ENFERMEDADES

Cuando cayó la tarde le trajeron muchos endemoniados y expulsó a los espíritus con Su Palabra y sanó a todos los enfermos, "*para que se cumpliese lo dicho por el profeta Isaías, cuando dijo: El mismo tomó nuestras enfermedades, y llevó nuestras dolencias*" (Mateo 8:17). Fíjate hermano, que ahora entramos en una profundidad mayor y en una seguridad mayor, y oye esto con cuidado, en una responsabilidad mayor con Dios. Vamos a entender eso claro porque es así; los primeros tres versículos que consideramos eran promesas del Señor, promete sanarte, promete quitar la enfermedad de en medio de ti, promete que: “Yo soy el que sana todas tus dolencias”. El es fiel a Su Palabra; pero ahora no son promesas, ahora es una obra ya hecha y consumada, ahora es algo que ya el Señor lo hizo en la cruz.

Dice aquí: “El llevó nuestras dolencias”, eso es pasado, El llevó sobre Sí mismo nuestras enfermedades. Ahora sí el compromiso es serio, porque ahora ya Cristo sufrió un tormento terrible, un martirio como nadie ha sufrido para sanarnos a nosotros. Ahora, imagínate cuando uno se enferma. El diablo ataca con enfermedades a todo el mundo. Los siervos de Dios tienen la experiencia de verse atacados por síntomas de una cosa u otra y están, quizás a veces, días sintiendo malestar en tantos órganos del cuerpo. No te preocupes por eso, eso no tiene importancia alguna, pues eso que tú estás sintiendo lo llevó Cristo en Su cuerpo en la cruz. Eso es lo que te tiene que preocupar, que Cristo, por eso que tú estás sintiendo, pagó un precio grande de martirio, de dolor, de sufrimiento.

SUFRIO TU ENFERMEDAD

Por eso el profeta Isaías dice en el capítulo 53,

> *Ciertamente llevó él nuestras enfermedades, y sufrió nuestros dolores.*
>
> Isaías 53:4

Ahora no es cuestión de que promete sanarte, es que ya sufrió por tu enfermedad, ya pagó el precio por tu dolencia, la llevó sobre Su propio cuerpo, por eso fue que sufrió porque sintió en Su cuerpo el dolor de la enfermedad. Hay siervos de Dios que en ocasiones ministran y de pronto sienten un dolor terrible en el corazón y saben qué es, que hay una persona ahí donde ellos están predicando que tiene en el corazón un malestar similar al que él siente y lo llaman: “Aquí hay alguien que tiene un dolor terrible en el corazón”. La persona pasa y es sanada por la oración de fe. Antes de sanarse, el siervo de Dios sintió el dolor sobre sí mismo. Algo semejante a lo que sucedió con Cristo en la cruz del Calvario, El sintió en Su cuerpo el dolor de nuestra enfermedad. Cuanto dolor puedes sentir tú o malestar, lo sintió ya el Señor y tú tienes derecho a ser sanado, pues ya El pagó el precio por su sanidad.

VISUALIZA A CRISTO

Por eso dice la Biblia: que El ciertamente sufrió. Sufrimiento real y terrible como hombre, y hoy día Dios permite que algunos siervos sientan algo similar, pequeño, no tan terrible como lo sintió el Señor, para que veamos que es una realidad literal y tengamos cuidado que cuando viene una enfermedad no nos dejemos engañar por el diablo y visualicemos enseguida a Jesús en la cruz y el rostro de dolor del Señor, de sufrimiento; sentir el dolor por eso que te ha tratado de poner el diablo. Quiere decir, que ahí tú tienes que reclamar: "Tú ya sufriste por esto, por lo tanto yo estoy libre, estoy sano, ya tú pagaste el precio por esto, no puedo enfermarme, mentiras del diablo", y le caes arriba a Satanás con esa *espada* en la mano. Repita esa Palabra, que cada vez que tú la digas, es como si le dieras un golpe con esa *espada* a Satanás hasta que se tiene que ir.

RESISTE AL DIABLO CON LA PALABRA DE DIOS

La Palabra dice:

Resistid al diablo y huirá de vosotros.

Santiago 4:7

¿Y cómo lo vas a resistir? Con la *espada* del Espíritu, que es la Palabra de Dios. Dice la Palabra de Dios,

Y cuando llegó la noche, trajeron a él muchos endemoniados; y con la palabara echó fuera a los demonios, y sanó a todos los enfermos.

Mateo 8:16

Tú echas fuera los demonios también con Su Palabra. Porque según hablas la Palabra y la citas, la fe en ti va aumentando; de momento el diablo no resiste más esa Palabra, lo cortas, cada vez que tú hablas la Palabra, Satanás siente el golpe, el martillazo que tú le das.

El problema con muchos cristianos es que no tienen su corazón en el Señor. No entienden el poder que hay en la Palabra y la autoridad que hay en nosotros. Cuando viene el síntoma se atemorizan y en vez de tirarse al suelo y reclamarle a Dios Su promesa; empezar a hablar esa Palabra y visualizar a Cristo en la cruz, visualizar en el cuerpo del Señor esa enfermedad y pelear contra el diablo con la autoridad de Cristo, y ganar la batalla y honrar a Dios con su victoria, les da temor, y antes de pensarlo dos veces ya están corriendo para el médico a buscar medicinas, a buscar alivio, cuando Cristo ya pagó un precio terrible de sufrimiento por ese malestar.

Ve, visualiza cuidadosamente lo que implica salir corriendo, cuando llega el síntoma, hacia una ayuda humana, y visualiza lo que pensará el Señor, que está al lado tuyo, que murió y pagó un precio terrible por esa enfermedad. Imagínate lo que el Señor pensará y lo que el Señor dirá: "Pero después que yo sufrí aquel martirio y llevé eso en mi propio cuerpo, ahora corres a alguien que puede fallar y no corres hacía mí que no fallo nunca". Es una situación más seria de lo que a veces consideramos y de lo que a veces creemos.

NO DUDES

Acuérdate de que sin fe es imposible agradar a Dios. Porque al moverte en otra dirección implica que uno duda de que esto sea verdad, como que uno teme que Dios pueda estar en otro sitio y no esté pendiente del asunto; que El se haya ido de vacaciones como los baales. Pero, el Señor está presente ahí como un poderoso gigante, al lado de nosotros, atento a nuestra oración, con la mano extendida para darnos la victoria y no será tardo, dice la Biblia, en hacer justicia a los que claman a El, día y noche.

POR SUS LLAGAS TU FUISTE SANADO YA

Primera de Pedro, capítulo 2, verso 24, confirma lo que acabamos de hablar en una forma, quizás más profunda. Cuando hablaba en el Evangelio de San Mateo, esa obra maravillosa de Cristo, El no había muerto todavía en la cruz del Calvario; eso estaba escrito ahí proféticamente. Pero, ahora en 1 Pedro, capítulo 2, verso 24, ya Cristo no solamente murió en la cruz e hizo la obra, sino que se fue al cielo ya y está arriba a la diestra del Padre. Quiere decir, que ahora el asunto es de más profundidad y de más confianza aun para nosotros. Verso 24 dice:

> *Quien llevó él mismo nuestros pecados en su cuerpo sobre el madero, para que nosotros, estando muertos a los pecados, vivamos a la justicia; y por cuya herida fuisteis sanados.*

Fíjate como habla muy claro en pasado que por Su herida tú fuisteis sanado ya. Diciéndonos claro, que en Su cuerpo lastimado, molido y deshecho, El llevó tu enfermedad en el madero del Calvario, así como llevó tu pecado.

JESUS: SALVADOR — SANADOR

Cuando tú cometes una falta y vienes al Señor, vienes con confianza, porque tú sabes que ya Cristo llevó eso en la cruz y te acercas con confianza a Dios, amparado en los méritos de Jesucristo. Le dices con confianza: "Señor, perdóname, he cometido una falta, ten misericordia, yo sé que Cristo las llevó en la cruz por mí y Su sangre me limpió de pecado". Tú quedas perdonado instantáneamente, ya que Cristo hizo eso en el Calvario y pagó el precio en la cruz.

Ese mismo precio pagó por la enfermedad, por eso es que el Salmo 103:2 dice: "No olvides"; nos da una orden. Eso no es si a ti te gusta o no te gusta, aquí ya no vivimos a base del

...gusto nuestro, aquí vivimos a base de la Palabra de Dios, esa es la lámpara para nuestros pies. Es lo que ordena la Palabra, que no se olviden los beneficios que el Señor compró en la cruz para ti, que nos salvó en la cruz, que se llevó todos los pecados, que en Su cuerpo sintió el peso del pecado. Fue hecho pecado por culpa nuestra y también fue enfermado por culpa nuestra y sufrió el dolor de las enfermedades, conforme dice la Palabra para nuestra bendición.

NO DESMERITES UN SACRIFICIO TAN SUBLIME

Es decir, que la responsabilidad nuestra en cuanto a la sanidad divina es mucho más profunda de lo que muchos se creen, porque cada vez que uno en vez de ir a Cristo va a otras fuentes, llámelo como lo llame, tú estás automáticamente quitando el valor al sacrificio que hizo el Señor en la cruz y automáticamente tú estás dudando de que el Señor realmente haya hecho una obra como esa.

Fíjate hermano, que ya no es cuestión de que te va a sanar, no es cuestión de que te va a dar la victoria, es cuestión de que ya te sanó en la cruz. Ahora tú vienes al Señor cuando te ataque una enfermedad, y vienes en una actitud muy distinta al que no conoce la Biblia, vienes en la actitud de: "Tú me sanaste en la cruz, Tú llevaste esto en el Calvario, yo estoy sano por tu Palabra, reclamo lo que Tú hiciste para mí". Cuando ustedes ven los hermanos que vienen y dicen: "Señor, sáname, si Tú me sanaras". Eso muestra ignorancia total de lo que está en la Biblia. Eso es una ignorancia, el pueblo de Dios se supone que conozca la Palabra de Dios.

Mira, esta es nuestra responsabilidad, conocer cada día más de Cristo para vivir en victoria grande y profunda contra el diablo. Por eso es que Pablo dice en la Palabra, "redimid el tiempo", y dice, "no como los necios", nos dice necios si perdemos el tiempo, dice: "porque los días son muy malos" (Efesios 5:15-16). Este es un tiempo malo, difícil, peligroso; hay que redimir, aprovechar el tiempo en las cosas de Dios para que cada día crezcamos más en las cosas del Señor, y venga el diablo con lo que venga, estemos como soldados y le digamos, "¿para dónde vienes diablo? Aquí está un soldado del ejército celestial", y con la Palabra, lo echemos fuera. Resistid al diablo con la Palabra, con la *espada* del Espíritu, y de vosotros huirá.

Aún dice más; dice:

> *Y el Dios de paz aplastará en breve a Satanás bajo vuestros pies.*
>
> Romanos 16:20

Pónle tus pies sobre el cráneo a Satanás, en el nombre de Jesucristo. Cuando hay fe, conocemos la Palabra, hablamos la Palabra y vivimos la Palabra, siempre tenemos los pies nuestros bien pesados sobre la cabeza del diablo. Si Cristo hizo un sacrificio tan sublime y pasó un dolor tan profundo por nosotros, realmente sería muy desagradable para Dios, que nos olvidáramos de algo tan grande como lo que El hizo.

HABLA Y VIVE LA PALABRA

Hermano, te voy a decir en forma clara, y no te molestes conmigo por decir la verdad, porque yo lo que quiero es que crezcas. Se pueden contar con las manos los que en el pueblo de Dios viven esta Palabra. En el pueblo de Dios, empezando por los siervos de Dios, pastores y evangelistas, son los primeros que cuando les duele una uña corren para el médico y se les olvida que Cristo sufrió por eso, que Cristo pagó por eso, que Cristo murió por eso, que Cristo los sanó en la cruz y no se le paran de frente al diablo y le dicen: "Diablo, tengo autoridad sobre ti", y digo esto en el amor de Dios y para bendición de los hermanos.

Nosotros, los siervos de Dios, que Dios nos ha puesto a predicar, pastores y evangelistas, somos los más responsables de depender de Cristo y dar ejemplo de que esta Palabra es toda verdad. El diablo me ha atacado a mí con enfermedades desde que me convertí, en la garganta, en el corazón, en las rodillas. Cuántas veces el diablo me ha hecho tratar de creer que la artritis ha vuelto, yo le digo: "Mira charlatán, mentiroso estoy sano desde la mollera hasta la planta de los pies, retírate de mi presencia". Alabado sea Dios. Y sigo andando tranquilo hasta que desaparece, y ni me paro, ni me acuesto, sólo hablo la Palabra, hablo victoria y sigo sirviéndole a Dios.

DOLOR EN EL CORAZON DESAPARECE

En una ocasión yo tuve que trabajar en forma muy forzada en mi país, salía noche tras noche a distintos lugares en mi vehículo a predicar la Palabra y regresaba a la una de la madrugada a mi casa y al otro día trabajaba como profesor de Ciencia en la escuela, y por la tarde volvía y salía y llegaba otra vez a la una de la mañana y eso fue por meses. De pronto me comenzó un dolor en el corazón, aquello era terrible, yo oraba y ahí se quedaba, y volvía y oraba y no me sanaba. Amanecía por la mañana con ese dolor y esa pesadez dentro del pecho, entendía que había una lesión ahí, pero no la aceptaba. De ninguna manera lo aceptaba. Sólo hablaba: "Por tus llagas yo fui sanado, yo estoy sano".

¿A QUIEN CREER?

¿A quién iba a creer, al síntoma, o a la Palabra? A uno de los dos tenía que creer. ¿Cuál era la verdad? ¿La Palabra o el síntoma tan real y tan terrible? La Palabra es la verdad, por lo tanto el síntoma era una mentira.

Ahora, tenía el dolor en el corazón y era una realidad que lo sentía. Si eso era la verdad, entonces la Palabra de Dios es una mentira. La Palabra dice, que por Sus llagas yo fui sanado. Estuve en esa batalla semanas y un día llegó a casa un siervo de Dios muy íntimo en mi vida y mi ministerio y me dijo:

—¿Tú sabes a qué vengo?

—¿A qué? —le dije.

—A que ores por mí porque tengo un dolor en el corazón que no lo resisto —me contestó.

—Pues voy a poner la mano en tu corazón y voy a reprender ese diablo, y tú pones la mano en mi corazón y reprendes el que yo tengo aquí también —le dije.

Nos arrodillamos los dos y yo puse la mano en el corazón de él y él la puso la suya sobre el mío. Los dos reprendimos y los dos quedamos sanos en un segundo. Nos pusimos de pie y nos echamos a reír, nos reímos en la cara del diablo y danzamos abrazados por el cuarto.

LA PALABRA ES LA VERDAD

Fiel y verdadero es el Dios que prometió. Tú tienes que saber esperar en el Señor, si la fe no te alcanza para ser sano en el momento de la oración, espera confiado. El diablo te va a decir: "Te mueres".

Dile: "No me muero, el que está muerto, diablo, eres tú, derrotado y mentiroso".

"Ahora no vas a poder predicar".

Dile: "Ahora es que voy a predicar con gozo, ahora es que voy a levantar la voz como una trompeta diablo, estás siempre derrotado". Estamos siempre en victoria si hay fe, si hablamos la Palabra, vivimos la Palabra, creemos la Palabra, no hay diablo que nos pueda avergonzar ni subyugar. Dios siempre nos da la victoria.

SOLO CREE

Ahora, el Señor dice en Su Palabra:

Encomienda a Jehová tu camino, y confía en él; y él hará.

Salmo 37:5

Quiere decir que no siempre nos da la victoria instantáneamente. ¿Por qué es eso? En el segundo en que tú oras ya estás sano. Dios lo decreta instantáneamente, pero a veces no lo manifiesta enseguida para probar si es verdad que tú estás creyendo, si es verdad que tú puedes esperar en El, si es verdad que tú crees más a la Palabra que a un síntoma mentiroso que el diablo ha puesto, y ahí nos prueba a veces un día, dos días, una semana o dos semanas. Pero sigue hablando la Palabra, hablando victoria y caminando hacia adelante, sirviendo a Dios. ¡Sea bendito el nombre de Jesús! Somos más que vencedores por aquel Santo que nos amó. ¡Qué linda es la Palabra del Señor! Lo más maravilloso es que es la verdad. Cristo dijo: "La verdad es mi Palabra ".

Capítulo 3

LA ENFERMEDAD ES OPRESION DEL DIABLO

Antes de continuar, repito la pregunta que está en el ambiente, no me la contestes, pero déjala que se mueva en tu corazón. Conforme a lo que hemos estudiado hasta ahora, ¿será necesario cuando venga el síntoma, venga la enfermedad, venga ese ataque tan terrible, ir al médico y buscar la receta, buscar la medicina y tratar de sanarte por las formas naturales de la ciencia y de la tierra? ¿Será necesario eso? Piénsalo y medítalo.

Dice en Hechos 10:38

Cómo Dios ungió con el Espíritu Santo y con poder a Jesús de Nazaret, y cómo éste anduvo haciendo bienes y sanando a todos los oprimidos por el diablo, porque Dios estaba con él.

Lo más importante que queremos recalcar de eso es que ahí te dice claro que la enfermedad es opresión del diablo. Acéptalo como está en la Biblia, si otro dice: "Ah, no, que si es un microorganismo, que es un virus". Despreocúpate de eso. La Biblia dice que es opresión del diablo. Si es opresión del diablo y si el diablo trajo el virus, o trajo el germen, o trajo lo que trajo, no te preocupes por eso, es opresión de Satanás.

Quiere decir que cuando venga el síntoma o venga la enfermedad, míralo como es: una opresión del diablo. ¿Vas a ir al médico a que el médico pelee al lado tuyo contra el diablo? Medita el asunto ese claro. ¿Quién fue el que venció al diablo en la cruz del Calvario? ¿Fue el doctor en medicina o fue Jesús de Nazaret? Pues ve a Jesús de Nazaret cuando venga la opresión que todavía El anda por aquí abajo por medio del Espíritu Santo, sanando toda opresión de Satanás y si con alguien El tiene un compromiso es con Su pueblo. No tiene ningún compromiso con los pecadores. Ninguno.

SANIDAD —PAN PARA SU PUEBLO

Hay pecadores que vienen a la campaña y tú ves que se sanan por la oración de nosotros. Dios tiene un compromiso conmigo y con ustedes, los que oramos. Tú dices: "Señor, sánalo", y Dios lo hace, pero no por ellos porque el pecador está muerto y Dios no es Dios de muertos, Dios es Dios de vivos. Lo sana porque El contesta el clamor de Su Pueblo. La sanidad divina es para Su pueblo. A la cananea el Señor le dijo en la cara: "Esto no es para los perros, esto es pan para mis hijos".

Quiere decir que la sanidad divina es pan. Hasta los más pobres en la tierra comen pan material. Nosotros no somos pobres, nosotros somos ricos espiritualmente. Vamos a saciarnos del pan de arriba, del cielo. La sanidad divina es pan para Sus hijos. Tú puedes comer de ese pan. Si tienes un síntoma, gózate. ¿Cómo es eso? Así como te lo estoy diciendo. La Biblia dice:

> *Regocijaos en el Señor siempre. Otra vez digo: ¡Regocijaos! ... Por nada estéis afanosos, sino sean conocidas vuestras peticiones delante de Dios en toda oración y ruego, con acción de gracias.*
>
> Filipenses 4:4,6

¿Y cómo vas a dar gracias por una enfermedad? Sí, porque es una oportunidad que tenemos de glorificar a Dios, una oportunidad de derrotar al diablo, avergonzarlo y traer un testimonio para que Dios sea bendecido en medio del pueblo pecador.

SATANAS PROBARA TU FE

Cuando hablamos, enseñamos y creemos esta Palabra, tenemos que prepararnos porque Satanás nos va a probar, a ver si es verdad que creemos que Cristo sana. Y a veces viene la prueba por donde más nos duele y hay que mantenerse ahí firme en la Palabra. Tenemos que asumir una posición en el Señor. Esto implica asumir una posición en su Palabra, y mantenerse firme sin dar un paso atrás hasta que Dios haga lo que Cristo ya conquistó para nosotros en la cruz.

EL MEJOR CIRUJANO

En una ocasión estaba yo en mi hogar muy tranquilo cuando oí aquella gritería tremenda, llegó un hermano de mi esposa, con mi hija menor al hombro bañada en sangre y me dijo, casi tartamudo del sufrimiento que traía: "Se cayó en el patio de la iglesia, de una tribuna que había, cayó de espalda y había una silla que tenía un pedazo de madera como una púa, le cayó la pierna sobre esa púa y le entró por el muslo y tiene una tremenda herida, se está desangrando". Cuando yo la examiné, miré la herida, era una cosa tremenda de grande, eso en pulgadas, que es la medida que usamos en Puerto Rico, era como pulgada y media de larga, (casi cuatro centímetros) y de ancho como media pulgada (más de un centímetro). Las dos capas de grasa se le veían a un lado y al otro, manaba sangre a borbotones. Le dije: "Acuéstamela boca abajo, allí en la cama de mi cuarto".

La acostó boca abajo y vino corriendo un grupo de hermanos que me decían:

—Hermano, vamos a llevarla al médico que hay que cerrar esa herida.

—Un momentito vamos a orar —les dije—. Me arrodillé a orar y mientras oraba me interrumpían los hermanos de la iglesia: —Hermano, sabemos que Dios sana.

Hipócritas, si sabemos que Dios sana nos paramos firmes ahí para que la sane. Y continuaban diciendo:

—Sabemos que Dios sana, pero esa herida hay que cerrarla.

—Si mi Señor no sabe cerrar esa herida entonces la llevamos al médico —contesté—,pero ahora vamos a orar a ver si es verdad que El sabe cerrarla o no, si no sabe vamos para el médico, si sabe, que la cierre El, que es mi sanador.

Empezamos a orar y a orar. Los hermanos no podían orar, tenían un temor tan terrible que no podían hacerlo. Me tocaban por el hombro, y me decían:

—Vamos al médico hermano.

Me paré y con ira del Señor les dije:

—Reprendo al diablo en el nombre de Jesucristo.

Salieron corriendo y se fueron todos, menos una hermanita que se quedó de rodillas llorando al lado mío.

MIRANDO A DIOS EN RESPUESTA A LA ORACION

Empezamos a orar, y aquella hermanita se quedó allí llorando. Oramos tres horas sin parar, y a las tres horas yo abrí los ojos y miré, ya se había detenido la hemorragia, la herida abierta era horrible, pero ya no botaba una gota de sangre. Yo sentía aquella fe que me envolvía. Le dije: "Gracias que tú eres mi sanador, ahí está, tú sabes tomar puntos de sutura mejor que los especialistas de aquí abajo. Ahí tienes para que sutures los puntos y te glorifiques". No es fácil. Y más cuando es la hija más pequeñita. Es muy difícil; los lectores que tienen hijos saben cómo se aman y el menor quizás aún más. Entonces el asunto se vuelve todavía más delicado.

Allí estaba la niña boca abajo, había dejado de gritar y se había dormido. Seguimos orando yo le puse la mano en la piernita y seguí clamando y dándole gracias a Dios. "La sanaste, gracias por esos puntos tan lindos que tú vas a dar ahí", y oraba aún con más profundidad diciendo: "Ciérrala ahora mismo y desaparécela". Dios puede hacerlo, pero Dios lo hace como El quiere, como El sabe que más gloria va a traer para El, como El sabe que más bendición y más fe nos va a impartir a nosotros. Deja que Dios lo haga como El quiera, El sabe lo que hace. Lo importante es que tú tengas seguridad de que Dios lo va a hacer. Espera en Dios y El hará. Sea instantáneamente, o dentro de un rato, o dentro de dos días, pero dice: "lo hará, no fallará en hacerlo". Ese es el punto clave nuestro, eso es lo que nos importa a nosotros, ¿cómo lo hace?, despreocúpate de eso, El sabe lo que hace.

Yo seguí orando y así amanecí al lado de la niña. Al otro día por la mañana la levanté tempranito de la cama y le dije:

—Camina que Dios te sanó.

La herida aún estaba abierta y era horrible, pero no sangraba. La nena caminó un poco coja, pero anduvo por la casa.

—Estás sana —le dije.

Tenía de seis a siete años de edad.

—Estás sana, camina tranquila —repetí.

Me fui a trabajar y la dejé en la casa. Trabajaba todavía de profesor y me fui para la escuela. Llegué como a las once y treinta de la mañana a mi hogar y enseguida busqué la nena, y ahí estaba caminando coja por la casa con la herida enorme abierta, pero sin sangre.

EL PODER DESCENDIO

Nos encerramos toda la familia en una habitación a orar. Empezamos a orar y orábamos y orábamos. De pronto cayó el poder del Espíritu Santo y la nena dio un salto y salió corriendo por la casa. Según corría me gritaba:

—Papito, el Señor me sanó, estoy sana.

Y cuando ella gritó me envolvió el Espíritu Santo en una forma tan profunda que yo no podía ver a nadie, cerré los ojos y me dejé envolver más aún y sentí cuando el Espíritu Santo me habló y me dijo:

—Comiste del pan, la mayor parte de mis hijos se conforman con migajas.

Mi alma te alaba Señor. La niña estaba corriendo, pero la herida estaba abierta aún. Las dos capas de grasa se veían, pero eso se fue cerrando gradualmente, hasta que se cerró perfectamente. La vio una persona muy conocedora de estas cosas y dijo:

—Mentiras de ese hombre, eso fue un especialista, eso fue un experto, el que tomó esos puntos.

Alabado sea el nombre de Dios. Dios no la empujó, lo hizo el diablo. La empujó y la tiró sobre esa púa, pero Dios lo permitió para glorificarse.

Entiende que aquí hay una lucha espiritual terrible, tienes que visualizar que vivimos en un mundo donde vemos con nuestros ojos, pero no vemos en el mundo espiritual la batalla espiritual que nos rodea. Satanás hizo la obra y Dios lo permitió para glorificarse.

Me imagino a Satanás ir allá arriba y decirle: "A que si le hago esto a la nena menor que él quiere mucho; la que juega mucho con él, a que corre para el médico lleno de miedo". Me imagino al Señor contestarle: "A que no corre, a que espera por mí, a que me honra". Y ahí es donde estamos en una situación de honrar o avergonzar al Señor. Me imagino la sonrisa del Señor cuando yo esperé a que El hiciera la obra, y la vergüenza en la cara del diablo cuando no pudo hacer lo que él quería hacer.

AVERGÜENZA A SATANAS

Nosotros estamos llamados a avergonzar a Satanás, no para permitirle que se glorifique a costa nuestra. La Biblia dice: que en la cruz Jesucristo mostró en vergüenza las potestades del diablo, es decir, que cuando El se dejó matar por nosotros y murió por nosotros y llevó el pecado sobre El, y llevó la enfermedad sobre El, dejó en vergüenza a todos los demonios y a todas las potestades satánicas que han estado enfermando y perdiendo a la humanidad por tantos y tantos siglos. Los derrotó allí, con armas espirituales, poderosas, y con amor y con fe como nadie jamás ha tenido.

Ahora, los discípulos serían semejantes al Maestro, lo único, que nosotros trabajamos con más facilidad que El, porque El tuvo que hacer la obra y nosotros ahora nos aprovechamos de lo que El ya hizo. Nos movemos ahora por los méritos de Jesucristo; nos movemos en la victoria de Jesucristo; nos movemos en la fe del Señor, que es nuestra, porque somos Su cuerpo. Sea bendito el nombre del Señor.

Capítulo 4

LA TRIPLE VOLUNTAD DE DIOS

Pasamos a tercera de Juan, versículo 2. El pan de la tierra es agradable, nos gusta comer pan de aquí abajo, pero, el pan de arriba es mucho más agradable que el de abajo. El de abajo satisface por un ratito, pero este es pan que permanece. Dice tercera de Juan, verso 2:

Amado, yo deseo que tú seas prosperado en todas las cosas, y que tengas salud, así como prospera tu alma.

¡Qué cosa linda! Fíjese la triple voluntad de Dios, la triple bendición, la triple buena voluntad de Dios para Su pueblo.

SALUD FISICA

Primero: "Que tengas salud", salud física, sanos, quiere decir que cuando viene la enfermedad no es voluntad de Dios. Dios lo puede permitir, una voluntad permisiva, pero no es la perfecta voluntad de Dios. Una voluntad permisiva, porque el diablo lo ha pedido allá o por cualquier razón, para que tú te levantes espiritualmente en la fe y domines, venzas, crezcas y seas un ejemplo para los demás.

PROSPERIDAD MATERIAL

Segundo: "Y prosperado", eso es prosperidad material. Vamos a tocar ese punto, ese punto es importante. La Biblia dice, en el profeta Hageo, capítulo 2, verso 8:

Mía es la plata, y mío es el oro, dice Jehová de los ejércitos.

Quiere decir que toda la plata y el oro que está aquí abajo es de Dios, no es del diablo. El diablo sí, se ha robado todo, se ha apropiado de todo, usa cuanta cosa encuentra aquí abajo, a él no le importa, en él no hay honestidad, no hay normas, ni hay decencia de ninguna clase. Se apropia de lo que no le corresponde y lo usa. Pero esa plata y ese oro que está aquí, es de Dios para nosotros Sus hijos, por lo tanto, cuando tú tienes necesidades financieras reclámaselas al Señor.

Arrodíllate y con la misma confianza que tú reclamas la salud del cuerpo y reclamas el perdón del pecado, reclama las finanzas, porque la promesa está escrita, tú estás pidiendo en la voluntad de Dios. Así que reclama con confianza: "Señor, yo reclamo esta cantidad de dinero que necesito para este propósito que tú sabes que es menester y es necesario", y después que lo reclames, ordénale al diablo que suelte esas finanzas; ordénaselo en el nombre de Jesucristo con autoridad de Dios y espera con confianza, que Dios no puede fallar en darte ese dinero.

Dios es tu Padre y tú eres su hijo, los hijos le piden a los padres y los padres que tienen, le dan a sus hijos. Lo único es, que hay que reprender y echar fuera un ladrón que nos quiere robar lo que es nuestro. Dios no ha puesto el dinero aquí para que el diablo lo use para acabar de hundir la humanidad, ha puesto el dinero aquí para que Sus hijos lo usen para sus necesidades. No te vas a llenar de codicia, pero tú tienes necesidades y Dios que es tu Padre tiene que suplírtelas.

En esa forma es que nuestro ministerio se mueve, nosotros no dejamos de orar, reclamamos a Dios, necesitamos esta cantidad de dinero para pagar más 200 programas radiales que tenemos, no son dos o tres centavos, son docenas de miles de dólares semanales y Dios no falla en suplirnos, y le ordenamos al diablo que suelte eso en el nombre de Jesucristo y aun vamos más lejos; decimos: "Tú pusiste los ángeles para servirnos, yo te pido que los ángeles se muevan y me traigan este dinero ligerito, que lo necesito". Dios no nos ha fallado nunca, ahí vamos hacia adelante, ni nos preocupamos por el asunto. Una vez que lo reclamamos a Dios, sabemos que es nuestro y viene. Nosotros tenemos una promesa aquí para reprender los poderes del diablo que quieren tenerte a ti financieramente hundido, deprimido y en tantas y tantas vicisitudes. Tú reclama con autoridad, que el Dios de nosotros es rico y es tu Padre y Su voluntad está clara. Amados, eso es lo primero que somos, amados de Dios. "Y que tengas salud", eso honra a Dios que estemos en salud y eso hace posible que tú le sirvas mejor. "Prosperado", prosperidad material, que tú puedas tener el alimento para tus hijos, la ropa para tus hijos y todo lo que es menester en el hogar. "Así como prospera tu alma".

PROSPERIDAD ESPIRITUAL

Tercero: "Así como prospera tu alma". Para que las dos primeras promesas, las dos primeras buenas voluntades de Dios sean manifestadas, tú tienes que pelear por prosperidad espiritual, tienes que ir creciendo espiritualmente. No puedes resignarte a mantenerte ahí en un plano espiritual estático, o descendiendo, no, tú tienes que ir escalón por escalón, de gloria en gloria hacia arriba. Nunca estés conforme con tu crecimiento espiritual, hay más, hay algo más alto, hay algo mejor; reclámalo, pelea por eso, aprópiatelo, échale mano, como dice el apóstol Pablo. Tú sabes cuáles son los instrumentos para pelear; armas espirituales que dice que son poderosas en Dios para derribar las fortalezas del diablo.

HONRA A DIOS

Analizando 1 Corintios 6:20, vemos que el asunto es más serio todavía, porque dice:

Porque habéis sido comprados por precio; glorificad, pues, a Dios en vuestro cuerpo, y en vuestro espíritu, los cuales son de Dios.

Ahora no es cuestión de que a ti te guste o no, ahora es cuestión de que es una orden: "Glorifícame con ese cuerpo que lo compré por un precio". Jesús pagó un precio de sufrimiento en la cruz. Fíjate bien en eso, que es tan importante, pagó un precio en la cruz de sufrimiento terrible, de martirio por esa enfermedad, por lo tanto, ahora El demanda, ahora El dice: "Glorifícame, que yo pagué por eso". En otras palabras: "Hónrame delante de esa humanidad, hazle entender, pruébale a esa humanidad que yo compré esa salud en la cruz".

Entonces podemos preguntar de nuevo: ¿Es necesario ir al médico cuando nos enfermamos?

LLAME A LOS ANCIANOS

Analicemos Santiago capítulo 5, verso 14 y 15. Nos vamos a salir momentáneamente de la enseñanza personal que hemos estado trayendo todo el tiempo, y vamos a venir ahora a la iglesia, la congregación. Dice el apóstol, en el verso 14:

¿Está alguno enfermo entre vosotros?

Fíjate que la pregunta muestra que los apóstoles entendían que se podían enfermar los creyentes. Pablo mismo en la Biblia confiesa, que ministró enfermo en una ocasión. Y Santiago dice:

¿Está alguno enfermo entre vosotros? Llame a los ancianos de la iglesia, y oren por él, ungiéndole con aceite en el nombre del Señor. Y la oración de fe salvará al enfermo, y el Señor lo levantará; y si hubiere cometido pecados le serán perdonados.

Santiago 5:14-15

LA ORACION DE FE

Ahí hay un punto de una importancia muy grande, primero, que el creyente puede que se enferme, que venga el diablo y logre ponerle la enfermedad en una u otra forma. Dios lo permite para que ese creyente glorifique a Dios, honre a Dios y le pruebe al diablo que es un mentiroso, y que la verdad de Dios es una realidad en nuestros medios, pero, sea la razón que sea de la enfermedad, la orden del apóstol para los creyentes es: "Llama los creyentes de fe de la iglesia, llama los creyentes maduros espiritualmente, a la gente llena del Espíritu Santo en la iglesia, y únjanlo con aceite, y órenle. Santiago dice con una seguridad absoluta: "La oración de fe lo salvará y el Señor lo levantará".

No hay nada más que dos alternativas como resultado de esa oración, que se sanará porque el propio Jesucristo lo levantará. Quiere decir, que esa era la medicina de la iglesia apostólica. Ahora yo le pregunto a ustedes, ¿ha cambiado la iglesia? ¿Tenemos una iglesia nueva ahora, distinta, o es todavía la misma iglesia? La pregunta es fácil de contestar. La iglesia es el cuerpo de Jesucristo, y Jesucristo es el mismo ayer y hoy y por los siglos, por lo tanto, la iglesia no ha cambiado, como Cristo tampoco ha cambiado y la doctrina apostólica es la doctrina nuestra de hoy en día.

AUMENTA LA FE — PREDICA SANIDAD

Ahora, el problema es el siguiente, que todo depende de la fe y la fe viene por el oír la Palabra, y ya se ha cometido el trágico error en la iglesia actual del Señor de que se predica salvación del alma una vez, dos veces, tres veces, cien veces y no se predica sanidad divina. Entonces, la fe está muy bien cimentada en la salvación y muy floja y raquítica en la sanidad divina. Cristo dijo: "No te olvides de ninguno de mis beneficios porque yo perdono y sano" y en la cruz, el mismo cuerpo que llevó el pecado, llevó la enfermedad.

Quiere decir, que cuando predicamos tenemos que predicar salvación que es lo más importante, pero hay que predicar sanidad divina, ahí, injertada a la salvación, porque eso es parte de la libertad que Cristo compró en la cruz para nosotros. ¿Cómo es posible que tú seas libre espiritualmente y físicamente estés esclavizado a Satanás? El diablo va a tratar de enfermarte; son dos maldiciones terribles de Satanás, pecado y enfermedad; pero cuando tú conoces las promesas y estás bien agarrado del Señor, tú eres libre espiritualmente y eres libre físicamente. Por eso el Señor, en Juan 8:32, dijo:

Conoceréis la verdad y la verdad os hará libres.

También dijo: "Yo soy la verdad" y también dijo: "Mi Palabra es la verdad". Quiere decir, que El y la Palabra es lo mismo. El es el verbo hecho carne.

NO TE DESCUIDES ESPIRITUALMENTE

Ahora, fíjate en un punto importante que hay ahí. Dice: "La oración de fe salvará al enfermo y el Señor lo levantará" y dice: "Y si hubiere pecado le serán perdonados". Vemos que el apóstol muestra que la enfermedad a veces puede venir por el pecado. Porque cuando la persona está con ciertos pecados escondidos se torna muy murmurador en la iglesia hablando del pastor y de los hermanos, se llena de celo, de codicia, de glotonería, de envidia y se descuida en la oración, deja de hacer lo que Cristo ordenó. Entendamos que no solamente es pecado la maldad que uno comete, sino que también pecado es lo bueno que uno deje de hacer que es lo que Cristo ordena, pues eso es desobediencia.

Si te descuidas en la oración, en el ayuno, en la Palabra y empiezas a tornarte un poquito más interesado en el entretenimiento carnal que en las cosas de Dios, puede venir la enfermedad, y en ese caso la enfermedad es una bendición para que tú pongas el grito en el cielo y vuelvas otra vez a los brazos del Señor. Pasa como al pequeñito que se arriesgó a bajar del balcón y salir a la calle y allá se encontró un perro grande y cuando el perro le ladró salió corriendo y cayó en los brazos de papito y de ninguna manera quiso volver a salir.

Nosotros somos como los pequeñitos que tenemos que estar siempre en los brazos de papá. No te alejes de papá porque el perro grande te está velando.

LAS MEDICINAS NO QUITAN EL PECADO

Ahora, si la persona se enferma y va a la ciencia médica y la enfermedad es por pecado va a tener dos problemas:

Primero: la enfermedad.

Segundo: que el médico no le va a resolver el problema del pecado. Las medicinas no le van a quitar el pecado. Pero, si se ciñe a la Palabra de Dios, la Palabra sana en forma completa por fuera y por dentro. La Palabra dice, que entra hasta el tuétano de los huesos, quiere decir que no hay artritis que la resista, ni hay pecado que la resista en absoluto.

Entra la persona y confiesa su pecado, porque hay que confesar el pecado, no a un hombre pecador, pero sí delante del Señor. Si uno llama a un hermano, un hermano bien maduro, ese hermano oye y ora contigo, el hermano no te va a perdonar, pero va a ayudarte con la oración y a gemir contigo delante de Dios, entonces, Dios te perdona y sigues tú moviéndote sano y salvo, porque la oración de fe te va a sanar y tú vas a tener una experiencia que le hará tener más cuidado en su vida cristiana.

GUARDA LA PALABRA

Si nos ceñimos a la Palabra física y espiritualmente estaremos en crecimiento todo el tiempo y todo lo que suceda obrará para bien, pero dice, que los que aman a Dios (Romanos 8:28). Porque hay gente que habla el texto a medias, nunca hables los textos de la Biblia a medias, háblalos completos. Hay quien dice:"Todas las cosas obran para bien", y se para ahí. Eso no es verdad, eso es una mentira del diablo porque eso no es lo que dice la Biblia. La Biblia dice:

Y sabemos que a los que aman a Dios, todas las cosas les ayudan a bien, esto es, a los que conforme a su propósito son llamados.

Y el Señor dijo:

El que me ama, mi palabra guardará.

Juan 14:23

Quiere decir que todas las cosas obran para bien de los que guardan Su Palabra.

LA MEJOR MEDICINA

Así que en la iglesia primitiva esa era la medicina. Podemos abundar un poco más en eso. La fe de los primeros creyentes era tan profunda que, en Hechos, capítulo 5, verso 15: dice, que traían a los enfermos en camillas y en lechos y los tiraban en las calles para que, aunque fuera la sombra de Pedro los tocara porque eso era suficiente para sanar. Los que traían a los enfermos, los inconversos, que eran multitudes, se convertían al Señor cuando estos enfermos se sanaban.

Los inconversos veían que en esa iglesia había tanto poder que dirían: "¿Por qué voy a ir a un hospital? ¿Por qué voy a ir al médico? ¿Para qué medicina? Esa gente tiene el poder de Dios y eso es gratis, no me cobran nada". Y cuando se sanaban los enfermos, los pecadores se convertían a Jesucristo y seguían añadiéndose a la iglesia los que eran llamados para vida eterna.

Ahora, fíjate si hoy en día estamos en el mismo patrón apostólico, o nos hemos puesto al revés. Hoy en día en vez de ir los inconversos a la iglesia para que los enfermos se sanen, los convertidos van al hospital para que les den medicinas. Es tiempo de que la iglesia del Señor se ponga al derecho y deje de seguirse moviendo al revés, quiere decir que es tiempo que empecemos a orar más, a clamar más y a traer más la Palabra, porque esta Palabra es la que imparte la fe, esta Palabra es la que impone las convicciones, esta

Palabra es la que redarguye; acusa a uno como un fiscal y pone a uno medio tembloroso y con temor en el corazón.

El principio de la sabiduría es el temor de Jehová.

Proverbios 1:7

No es miedo, Dios es lo más lindo y lo más bueno que hay. Es temor a desagradarle porque El se siente triste, lo lastimamos con nuestra desobediencia. Lo hacemos sentir triste cuando dudamos y lo declaramos mentiroso moviéndonos en dirección contraria a la que El ha trazado. Su perfecta voluntad es que vayamos a su Palabra.

EL PODER DE DIOS EN TI

Mientras pasamos a Marcos, capítulo 16, verso 17; repetimos la pregunta del principio: Cuando venga el síntoma y te duela el corazón, como me pasó a mí en una ocasión, ¿deberás correr para el médico a ver qué medicina será la que van a utilizar, o deberás ir a Cristo?[1]

En Marcos 16:17, Jesucristo, nuestro Rey dijo:

Y estas señales seguirán a los que creen:

Como diciendo, éstas son las señales que seguirán a mi iglesia. Los creyentes somos el cuerpo del Señor, que es la Iglesia.

En mi nombre echarán fuera demonios.

No es que el demonio nos haga correr a nosotros, es que nosotros lo hagamos correr a él. Fíjate que la Biblia dice:

Resistid al diablo y huirá de vosotros.

Santiago 4:7

1. Nota de la Editorial: Bajo ningún sentido, estamos aconsejando que el creyente deje de tomar medicinas o visite a su médico en caso de enfermedad. Es cierto que el Señor Jesucristo es nuestro médico celestial, pero es responsabilidad del lector tomar la decisión.

El que huye es porque tiene temor. Si tú ves un perro y te da temor, tú te alejas aprisa. Te dio temor, pero si tú no sientes temor te quedas tranquilo ahí parado al lado del perro. Cuando tú reprendes al diablo con autoridad, el diablo, no te ve a ti, es a Jesús a quien ve. Toda la autoridad del Señor está en el creyente y por eso dice que huye, atemorizado ante la presencia de Dios.

La Biblia dice: que los demonios tiemblan ante la presencia de Dios. Quiere decir, que tú tienes que estar lleno del Espíritu Santo para cuando le digas al diablo: "Vete", éste tiemble, porque sienta la presencia de Dios y ve a Cristo en ti. Si te ve a ti, te va a dar en la cara, pero si ve a Jesús va a huir a la mayor velocidad que pueda desarrollar.

NO PODEMOS TENTAR A DIOS

Y el Señor fue claro:

> ***En mi nombre echarán fuera demonios; hablarán nuevas lenguas; tomarán en las manos serpientes, y si bebieren cosa mortífera, no les hará daño.***
>
> Marcos 16:17-18

Eso es un punto que es una verdad total, pero no es para tentar a Dios, no es que tú vas a buscar un veneno para probar que eso es verdad, eso sería tentar a Dios. Es para cuando tengas una necesidad y suceda, reclames la promesa y sigas cantando y alabando a Dios como antes.

En Hechos 28:3-5, la Biblia dice que a Pablo lo picó una serpiente, una víbora venenosa que mataba casi instantáneamente, y Pablo la quitó del brazo y la tiró al fuego. Todos se quedaron esperando que Pablo reventara. El que reventó fue el diablo que le trajo la víbora. Fue motivo de admiración tan grande para aquella gente que eso hizo que creyeran que era un varón de Dios y trajeron cuanto enfermo había, y se sanaba la gente. Quiere decir, que Pablo dejó establecido en ese lugar una obra tremenda por el cumplimiento de esta Palabra.

Ahora, tú no vas a buscar un veneno para probar eso, porque estarías tentando a Dios y te vas a morir, ni te vas a meter debajo de un auto para probar que no te va a hacer nada, porque te van a aplastar, ni vas a buscar una serpiente venenosa y le vas a poner los dedos para que te muerda, porque te vas a morir de seguro. Cristo lo enseñó, que no se puede tentar al Señor, nuestro Dios, pero si sucede por accidente o por obra de Satanás, o por lo que sea, tú tienes una promesa; párate firme pues el antídoto está en la Palabra. "Tomarán en las manos serpientes, y si bebieren cosa mortífera no les hará daño alguno" (Marcos 16:18).

Ese es el antídoto. La Palabra de Dios, que dice que esa Palabra es vida. Si hablas la Palabra, físicamente completarás el número de tus días, espiritualmente serás eterno o sea inmortal, porque esto es vida, aquí no hay muerte. Cristo lo dijo:

> *Y todo aquel que vive y cree en mí, no morirá eternamente. ¿Crees esto?*
>
> Juan 11:26

¿Cuántos tienen eso? Gózate, alégrate y ríete, que tú eres inmortal. Bendito sea el nombre de Dios. Eso lo compró Jesús para nosotros en la cruz.[2]

EN LA IGLESIA HAY SANIDAD

Añade y termina diciendo:

> *Sobre los enfermos pondrán sus manos, y sanarán.*
>
> Marcos 16:18

La sanidad divina es parte de lo que la iglesia tiene que vivir en su experiencia cristiana. Poder de Dios para rechazar

2. El autor hace referencia a la vida eterna que adquirimos al aceptar al Señor Jesucristo como Salvador.

cualquier veneno, para echar fuera al diablo, lenguas para hablar con Dios misterios en el espíritu y orarle a El en lengua extraña con más efectividad.y sanidad para los cuerpos. Eso está en la iglesia del Señor y si está en la iglesia y somos parte de la iglesia; ¿será lógico, o sensato, prudente e inteligente que lo vayamos a buscar al mundo?

La Palabra nos prueba que hay un Cristo, que es santo y puro y que dijo: "Yo soy tu sanador". Esto es para uno pensar cuidadosamente, porque cada vez que tú dudas de la Palabra y vas a buscar en otras fuentes lo que ya Cristo hizo por ti, estás dudando del Señor y estás avergonzándole a El y haciéndole quedar en ridículo delante de Satanás, que es un ladrón y un mentiroso.

¿Si en la iglesia hay sanidad, debemos ir al mundo a buscarla? Vamos a contestar eso con la Biblia. Cristo dijo:

No son del mundo, como tampoco yo soy del mundo.

Juan 17:16

Y también:

Y el mundo pasa, y sus deseos; pero el que hace la voluntad de Dios permanece para siempre.

1 Juan 2:17

Si entiendes eso claro, fíjate, que el asunto de la sanidad divina está más ligada al asunto de la salvación del alma de lo que muchos creyentes se creen, porque cuando tú empiezas a moverte hacia el mundo a buscar sanidad, empiezas a dudar de Dios y de la Palabra que te dicen a ti: "Yo soy tu sanador". El dijo:

Glorificad, pues, a Dios en vuestro cuerpo y en vuestro espíritu, los cuales son de Dios.

Corintios 6:20

El diablo tratará de impedirlo y te pondrá temor y luchará contra ti. Ese es su negocio y él lo conoce muy bien. De igual modo debemos conocer nosotros nuestro negocio, porque tenemos el mejor Maestro que jamás ha existido, nuestro Señor Jesucristo. Su Palabra es *espada* que corta las ataduras de Satanás. El diablo es sólo un mentiroso y un ladrón.

DANDO BUEN EJEMPLO A LA HUMANIDAD

Pasamos a Lucas 9:2. Ahora yo voy a cambiar la pregunta. ¿Debemos como creyentes ir primero al médico cuando viene la enfermedad y nos ataca y dejar para lo último al Señor? La pregunta está hecha en un ángulo distinto ahora. ¿Será esa la forma en que debemos actuar? Déjenlo en sus corazones. En Lucas 9:2 Jesús llamó a los doce apóstoles, doce hombres. Los envió a anunciar el reino de Dios y a llevar la buena noticia, el mensaje de la Palabra, y a sanar a los enfermos.

Fíjate, que encontramos continuamente que el Señor no desliga la parte de la salvación de la parte de la sanidad. Siempre están ligadas. ¿Por qué? Porque el mismo cuerpo que llevó el pecado, llevó la enfermedad. El pecado es opresión de Satanás y la enfermedad es opresión de Satanás. El Señor no puede concebir que Su pueblo sea un pueblo oprimido por el diablo porque a Su pueblo, El lo libertó en la cruz del Calvario. Ahora, sí estamos atacados continuamente, por eso es que hay que vestirse con toda la armadura de Dios. El escudo de la fe al frente para resistir, la espada del Espíritu, que es su Palabra, para cortar todas las ligaduras de opresión. Que el enemigo salga herido y maltrecho cuando nos ataque a nosotros.

El Señor nos envió a nosotros también, porque ese mandato a los apóstoles es el mandato a todos los creyentes que están aquí ahora: "Ve y anuncia la buena nueva... y me seréis testigos". También dice: "Y sana los enfermos". Si tú que tienes esa orden de ir y orar por los enfermos para que se sanen, viene el diablo y te pone una enfermedad, vas a salir corriendo para donde está un hombre sin buscar primero la sanidad en el Señor entonces, ¿qué dirá la humanidad pecadora que está observando muy bien nuestra vida? Dirán:

"Mira, y eso que dice que Cristo sana, y mira como iba corriendo para el médico".

Hay que tener cuidado porque a veces ignorantes, o en una forma u otra, avergonzamos al Señor y Dios no está para ser avergonzado. Dios está para ser honrado y glorificado por nosotros. Hermano, cuando venga el diablo con una enfermedad y te la ponga o sientas el síntoma, páratele de frente cara a cara y dile: "Diablo Cristo me sanó en la cruz, estoy sano, y estoy seguro de que estoy sano aunque sienta el síntoma que sienta". Aunque sientas que te mueres, dile: "Y si me muero, diablo, te voy a pasar por el lado por ahí por las potestades tuyas y te voy a decir adiós, que voy para el reino de los Cielos".

Mira hermano, el Señor dijo: "Completaré el número de tus días, bendeciré tu pan y tu agua". Esa es la Palabra de Dios. Promesas de Dios para nosotros. Son promesas de vida, promesas de victoria, pero El es un Dios de fe, eso quiere decir que a las cosas que no son El les dice como si ya fueran, a lo que no es, le dice como si ya fuera, pues esa es la fe. Cuando tú lo ves ya es fácil, lo veo, ya eso es cuestión de lo natural, pero mientras tú no lo ves y lo crees y lo hablas, esa es la fe, la sustancia de las cosas que no se ven. Tú no lo ves, pero sabes que hay una sustancia hecha ya, algo ya decretado por Dios que se va a manifestar, y tú lo esperas tranquilo mientras te gozas y alabas a Dios y te ríes en la cara al diablo.

Ríetele en la cara a Satanás cuando vengan los síntomas, no ponga la cara triste que ponen algunos que vienen diciendo: "Ay hermano, me estoy muriendo". Pues mire hermano, no tema, que el morir es ganancia para los cristianos. Si vamos a estar en esa forma, dando un ejemplo tan malo, váyase para el cielo mejor. Venga riéndose y dígame: "Hermano, me estoy gozando porque siento un síntoma aquí, y lo vamos a reprender y vamos a avergonzar al diablo".

SANAD ENFERMOS

En Lucas 10:9 vemos algo adicional y fíjate que ahora no son los apóstoles, ahora fueron setenta discípulos que el Señor envió adicionales porque El no daba a basto, ni tampoco los doce, de tanta necesidad que había. Hoy es igual, la necesidad de hoy en día es tan y tan grande, que es una tragedia. Hay que gemir cada día a Dios para que nos dé más fe, más unción, más poder para llevar más bendición a esa pobre humanidad. Nosotros somos ricos hermanos, lo tenemos todo, todo es nuestro en Cristo. Esa humanidad está perdida, son siervos y esclavos de Satanás, es una tragedia, pero nosotros podemos llevarles el poder de Dios.

Y en ese verso 9, la Palabra nos muestra que el Señor envió a esos setenta y les dijo:

> *Y sanad a los enfermos que en ella haya, y decidles: Se ha acercado a vosotros el reino de Dios.*

Fíjate que es una orden idéntica a la de los doce apóstoles, no hay diferencia. Los apóstoles eran discípulos del Señor, los creyentes son discípulos del Señor y todos somos discípulos del Señor. Si en su discipulado el Señor te da un ministerio especial dale la gloria a Dios. Si te hace pastor, o maestro, o evangelista, o te pone aún más alto como un profeta, o como un apóstol; gloria a Dios. Como quiera, todos somos discípulos. Los discípulos estamos llamados a dar testimonio a la humanidad y a orar por los enfermos.

TODO CREYENTE OBEDEZCA

Hay hermanos que dicen: "No hermano, yo no tengo el don". Olvídate del don, los creyentes pondrán las manos sobre los enfermos y sanarán. Tú pones la mano y oras: "Señor, tú dijiste que yo pondría la mano y se sanaría, tú los sanaste ya en la cruz. Gracias que está sano". El resto es problema de Dios. El problema tuyo es hacer lo que El dijo y creerlo. Aunque veas que se quedó enfermo, sólo di: "Lo sanaste, yo puse las manos, hice lo que tú dijiste, y tú no eres un Dios mentiroso. Tú eres un Dios verdadero". Habla la Palabra, habla con fe y sigue reclamando y el enfermo sanará por el poder de la Palabra que tú estás hablando. Su Palabra es vida y potencia de Dios para salud.

OBRAS AUN MAYORES HAREMOS

En Juan 14:12. El Señor Jesucristo dijo:

> *De cierto, de cierto os digo: El que en mí cree, las obras que yo hago, él las hará también; y aun mayores hará, porque yo voy al Padre. Y todo lo que pidiereis al Padre en mi nombre, lo haré, para que el Padre sea glorificado en el Hijo. Si algo pidiereis en mi nombre, yo lo haré.*

Una verdad total. Eso es una promesa grandiosa. Imagínate lo que eso implica. Haríamos las obras que El hizo, aun mayores, dice: "porque yo voy al Padre" y podemos visualizarlo a El a la diestra del Padre arriba en el cielo. "Si algo pidiereis en mi nombre, yo lo haré"; por medio del Espíritu Santo que está aquí abajo, El lo hará. Así que el Señor tiene contacto con el Padre arriba, para reclamar para nosotros todo lo que El compró en la cruz. Y tiene contacto con el Espíritu Santo aquí abajo para que ponga en ejecución lo que El ordena que hay que hacer.

EN EL NOMBRE DE JESUS

"Si algo pidiereis al Padre en mi nombre, yo lo haré". Ahí nos enseña cómo es que hay que orar, o sea al Padre en el nombre de Jesucristo y tener la fe de que El personalmente ha prometido hacer lo que tú estás pidiendo, conforme a Su voluntad. En esa promesa grande y maravillosa se incluye por supuesto la sanidad divina, e incluye cualquier alternativa que esté en la voluntad de Dios.

SEA HECHA TU VOLUNTAD

La Biblia dice claro que, lo que pedimos en Su voluntad, El lo hace, y aun en el Padre Nuestro nos enseñó a orar y nos dijo: "Padre, que se haga Tu voluntad". No conviene nada que esté fuera de Su voluntad, pero la sanidad divina, eso está en la voluntad de Dios, eso es lo que hemos estado probando todo el tiempo, que El lo hizo ya en la cruz por nosotros. Está hecho ya. No lo tiene que volver a hacer, solamente tú tienes que tomarlo. Aprópiate de lo que El ya hizo en el Calvario por ti. Eso es tuyo. Tú lo reclamas por la fe, te lo apropias por la fe, confesando su victoria y moviéndote como sano, actuando en su fe. Bendito el nombre de Jesús.

Capítulo 5

¿DEBEMOS DEPENDER DE DIOS PARA LA SANIDAD?

EL REY ASA NO BUSCO A DIOS

En 2 Crónicas 16:12, habla de un siervo de Dios, uno de los reyes del Antiguo Testamento, que fue fiel a Dios. Dice que en el año 39 de su reinado enfermó el Rey Asa de los pies hasta el punto de sufrir muchísimo. ¿Qué le dio en los pies? No lo dice, tal vez alguna infección, algún hongo. Lo que fuera, la enfermedad fue terrible. En su enfermedad no buscó a Jehová, sino a los médicos.

Ahora entramos en la decisión final de la pregunta que ha estado dando vueltas sobre todos nosotros. Ahora estamos, no con cualquier persona, sino con un rey de Israel, un ungido del Señor. Hombre que honró a Dios en muchas circunstancias.

> *En el año treinta y nueve de su reinado, Asa enfermó gravemente de los pies, y en su enfermedad no buscó a Jehová, sino a los médicos. Y durmió Asa con sus padres, y murió en el año cuarenta y uno de su reinado.*
>
> 2 Crónicas 16:12-13

Murió y lo sepultaron en el sepulcro que se había hecho en la ciudad de David. Quiere decir que no buscó a Dios, el Dios que en Su Palabra le decía: "Yo Soy tu sanador". El Dios que decía: "Servirás al Señor tu Dios y yo quitaré toda enfermedad de en medio de ti". El tenía esas promesas y las enseñaba. Asa conocía la Palabra de Dios. Eso estaba en el libro de Exodo. El tenía esa escritura que se enseñaba en Israel. Era uno de los reyes que enseñaba la Palabra. Sin embargo, cuando llegó la enfermedad y le apretó, se olvidó de la Palabra y fue a los médicos y se murió.

Vamos a comparar eso con esto otro.

Otro rey de Israel en 2 de Reyes 20. Ahora vemos a Ezequías, rey de Israel. A Ezequías le pasó lo mismo que le pasó a Asa, pero en una forma más profunda, porque dice que en aquel tiempo Ezequías enfermó de muerte. La Biblia no dice que Asa enfermó de muerte, ni que Dios dijo que se iba a morir, dice que no buscó a Dios para que lo sanara y fue a los médicos y se murió. Pero, de Ezequías dice, que enfermó de muerte y vino a verlo el profeta Isaías y le dijo: Así dice Jehová:

> *Ordena tu casa, porque morirás, y no vivirás.*

2 Reyes 20:1

Eso no era palabra de Isaías, era Palabra de Dios. Y entonces, Ezequías volvió su rostro hacia la pared y le dirigió a Jehová esta oración:

> *Te ruego, oh Jehová, te ruego que hagas memoria de que he andado delante de ti en verdad y con íntegro corazón, y que he hecho las cosas que te agradan. Y lloró Ezequías con gran lloro.*

2 Reyes 20:3

No se quería morir. Pero, fíjate que con lágrimas oró a Dios, con lágrimas le reclamó: "Te he servido de todo corazón, he guardado tus mandamientos y fíjate ahora esta enfermedad viene a traerme la muerte".

Aquí hay un punto que debemos aclarar. En el Antiguo Testamento todavía la obra redentora no estaba hecha. Ahora

Pablo dice que el morir es ganancia porque nos vamos con Cristo instantáneamente, lo cual es estar mucho mejor. Es decir, que si morimos ahora mismo, salimos del cuerpo e inmediatamente veremos ángeles del Señor que nos llevarán al reino de los cielos y veremos cara a cara a Jesús. Eso es una ganancia grande.

Ellos no tenían esa promesa, el Señor no había muerto en la cruz y si Ezequías se moría, por supuesto que moría salvo, pero iba para abajo, para el Seol, para la parte superior del Seol, que le llamaban Seno de Abraham. Eso no era ganancia. Ahí tenía que esperar hasta que Cristo obrara la redención y entonces se lo llevara para arriba, para el cielo. En algunos casos esperaron miles de años algunos de ellos ahí abajo. Por lo tanto, era natural que Ezequías deseara vivir por más tiempo, y lloró amargamente y reclamó a Dios y trajo delante de Dios su sinceridad y su fidelidad para con El.

DIOS CONTESTA EL CLAMOR

Después de esa oración, Isaías salió y estando todavía en el patio central del palacio recibió el siguiente mensaje de Dios:

> *Vuelve, y dí a Ezequías, príncipe de mi pueblo: Así dice Jehová, el Dios de David tu padre: Yo he oído tu oración, y he visto tus lágrimas; he aquí que yo te sano.*
>
> 2 Reyes 20:5

Uno fue al médico y se murió, otro gime y llora delante de Dios, y Dios se arrepiente de llamarlo hacia el descanso de la muerte y le dice: "Te sanaré", dentro de tres días subirás a la casa de Jehová, agregaré a tus días 15 años, y te libraré a ti y a esta ciudad de las manos del rey de Asiria, pues ampararé a esta ciudad por mi propia causa y por amor a mi siervo David. Ahora fíjate, la diferencia entre uno que fue a la ciencia del mundo, y no a Dios, y se murió. Y uno que lloró delante de Dios, no solamente vivió quince años más, sino que trajo quince años de paz al pueblo.

Nota los dos puntos que hay ahí, no fue solamente que no se murió, sino que Dios lo sanó y trajo quince años de bendición al pueblo de Israel. Cada vez que tú vienes al Señor y El te sana de una enfermedad, tú con tu testimonio le llevas bendición a los demás hermanos. Pero cada vez que vas para el médico sin haber buscado la sanidad primero en Dios, no les das ejemplo a los demás, que van quizás a imitarte, y en vez de honrar a Dios se van a mover fuera de la luz de la Palabra.

PARATE EN FE DELANTE DEL DIABLO

En esto de la sanidad divina, no es solamente el problema de si me sana o no me sana, ya Cristo lo sanó en la cruz, el problema es que tú te pares en fe delante del diablo, que es un ladrón y un mentiroso y asumas una posición en el Señor y no des un paso atrás de ninguna manera. ¿Por qué? Por amor, no a este cuerpo que nos duele, sino por amor al Cristo, que en la cruz pagó un precio tan grande por tu enfermedad. Por amor a la obra de Dios, que al tú ser sanado por el Señor vas a ser un testimonio para esa humanidad impía.

MUCHOS CREEN POR LAS OBRAS

Dicen algunos hermanos que han visitado las campañas: "No creíamos nada, pero ahora creemos". ¿Por qué creen? Porque han visto ciegos ver, sordos oír, heridas desaparecer y muelas empastadas. Al ver las obras de Dios, multitud de pecadores, multitud de incrédulos que no creen por la Palabra, creen por los milagros. Por eso es que la sanidad divina es tan importante. Cristo dijo:

> *Mas si las hago, aunque no me creáis a mí, creed a las obras, para que conozcáis y creáis que el Padre está en mí, y yo en el Padre.*
>
> Juan 10:38

Y fíjate si esto es importante, que Juan el Bautista en la cárcel, se llenó de duda algo increíble, pero cierto. El envió dos emisarios al Señor y le preguntaron: "Eres tú el que ha de venir o debemos esperar a otro". Eso era una cosa tremenda, porque Juan vio la paloma cuando vino y se posó sobre el Señor, y él mismo lo señaló y dijo:

He aquí el Cordero de Dios, que quita el pecado del mundo.

Juan 1:29

El Señor le mandó a contestar:

Id, haced saber a Juan lo que habéis visto y oído: los ciegos ven, los cojos andan, los leprosos son limpiados, los sordos oyen, los muertos son resucitados, y a los pobres es anunciado el evangelio.

Lucas 7:22

Y no dijo solamente: "Predico el evangelio, predico la Palabra". Dijo: "Predico y hago milagros de todo tipo". Quiere decir que nunca desligó la sanidad divina de la predicación de la Palabra.

EL MENSAJE DE SALVACION Y SANIDAD ESTA UNIDO

Hagamos lo mismo, los hermanos pastores y evangelistas no desliguemos nunca la obra de sanidad, del mensaje de que Cristo salva, porque es como las dos alas de un pájaro que si le quita una, el pajarito se va a mover muy grotescamente. Por eso es que la iglesia del Señor se mueve hoy muy mal, porque ha perdido la fe para una parte de la obra que Cristo hizo en la cruz, por la cual sufrió tanto como sufrió por el pecado. Porque llevar el pecado es un sufrimiento terrible, pero llevar la enfermedad le llenó de llagas y de dolor sobrenatural hasta hacerlo gritar: "Padre mío, Padre mío, por qué me has desamparado". El dolor de la enfermedad y el dolor de sentirse como un pecador cargado con el pecado de nosotros. Fue una situación trágica y terrible para Jesús. Es injusto que ahora nosotros dudemos y vacilemos en la fe.

DIOS NUNCA FALLA

Por lo tanto, ¿a dónde vas a correr tú cuando venga el síntoma? ¿A un hombre que puede fallar, a un hombre que a lo mejor es un pecador? Son pocos los doctores que yo conozco convertidos. En Puerto Rico los hay llenos del Espíritu Santo, tan llenos de fe que cuando gente cristiana van a consultarse con ellos, le dicen: "¿Qué hago, le receto o le oro?" Y los avergüenzan. Son gente que predican con autoridad, con ministerios evangelísticos llenos de Dios y doctores de fama en mi país. Uno de ellos se convirtió al Señor a través de nuestro programa radial "Cristo viene", el doctor Saul Monge. Es uno de los urólogos más prestigiosos que hay en mi país. Predica y ora por los enfermos y Dios hace milagros a través de ellos.

Hermano, esta Palabra es nuestra lámpara. Si nosotros somos cristianos de verdad, se supone que caminemos a la luz de la Palabra y el Señor lo dijo:

Lámpara es a mis pies tu palabra, y lumbrera a mi camino.

Salmo 119:105

Eso hermano, es uno de los preceptos de la Biblia. Que tenemos que guardar sus mandamientos y todos sus preceptos. "Yo soy tu sanador", ese es un precepto escrito en su Palabra. Cristo llevó ya en la cruz la enfermedad para los que se mantienen en su Palabra y esa Palabra misma te imparte a ti la fe de vencer al diablo en todos los frentes.

PODER Y AUTORIDAD

Acuérdate, el que pone la enfermedad es un enemigo derrotado, y tú tienes autoridad sobre él.

[Cristo] Habiendo reunido a sus doce discípulos, les dio poder y autoridad sobre todos los demonios, y para sanar enfermedades.

Lucas 9:1

Cuando venga el diablo con la enfermedad, dile: "Tengo autoridad sobre ti, te ordeno que te vayas en el nombre de Jesús". Háblale con autoridad y háblale con la ira de Dios, que no es a una persona, es al diablo a quien tú le estás hablando. Y el diablo, dice la Biblia, "huirá de vosotros". Y tú seguirás glorificando a Dios con este cuerpo y glorificando a Dios en tus buenas obras. Una buena obra es poder esperar en el Señor para que El nos sane y le podamos decir a la humanidad: "Cristo me sanó".

EL IMPIO SE BURLA Y NO CREE

En el pueblo de Hatillo, un pueblo a cinco minutos de Camuy, había un doctor en medicina. Cuando los pentecostales iban a consultarlo a él, después que les cobraba los cinco o diez dólares, se echaba a reír en la oficina cuando se iban, y decía: "Y eso que dicen que son de Cristo y vienen corriendo a mí para que les recete". Imagínese el dolor que sentía el Señor oyendo a ese impío. Una secretaria de él nos contó el asunto, porque a ella le dio piedra en el riñón y él no pudo sanarla y vino para que oráramos por ella. Cuando mi suegra y yo oramos botó las piedras molidas, fue al doctor y le dijo: "Tú no pudiste, pero el Cristo de los aleluyas pudo".

Dios obró para que aun ese impío viera Sus obras por la propia secretaria de él y pudiera arrepentirse, porque Dios lo ama. Pero, fíjese cómo se avergonzaba al Señor por culpa de los hijos de Dios y nosotros no estamos llamados a avergonzar al Señor y ser instrumentos para que un impío avergüence el nombre del Señor. Estamos para ser instrumentos de honra al nombre del Señor y llevarle la luz de Su Palabra a la humanidad.

DIOS HONRA A LOS QUE LE HONRAN

Hay que llevar la Palabra, pero hay que vivir la Palabra, se lo digo delante del Señor. Llevo veintisiete años predicando y el diablo me ha tirado con cuanto tipo de enfermedad hay. De la artritis que Dios me sanó, me han aparecido los síntomas y le he dicho: "Mentiroso, estoy sano". Y he seguido andando y se han desaparecido. Me ha puesto síntomas en el corazón y Dios los ha quitado. Me ha puesto síntomas en la cabeza y Dios los ha quitado; cuanta enfermedad, todo, Dios lo ha quitado. He ido a predicar casi mudo afectada la garganta de una ronquera terrible. He predicado con fiebre y con escalofríos. He ido a predicar más muerto que vivo, de tan cansado, y como quiera únicamente lo que he hablado es: "Estoy sano, estoy fuerte, estoy bien, la voz está como trompeta". Y Dios me ha honrado dándome sus fuerzas para ministrar al pueblo. Gloria a Dios.

No he gastado un centavo en medicinas en los veintisiete años que llevo predicando este evangelio de poder. El dinero que Dios me da lo necesito para mis necesidades y la obra de Dios.

DEPENDE DE DIOS PARA TU SANIDAD

El dinero que tú gastas en medicinas y el dinero que tú gastas en el médico, si Cristo te sanó ya en la cruz, úsalo para la obra de Dios. Te enfermas, ven a Cristo y cuando Cristo te sane, dile: "los veinte dólares que le iba a dar al médico, te los voy a dar a ti ahora, para tu obra". Yo he tenido hermanos que me han escrito y me han mandado una ofrenda para el ministerio, diciendo: "Le estoy enviando esos veinte dólares, se los hubiera tenido que dar al especialista, pero cuando usted oró por la radio, yo puse la mano y quedé nuevo". Dios es fiel, Dios es verdadero, Dios no fallará nunca en hacer lo que El ha prometido.

La sanidad divina es parte del evangelio de Jesucristo, está ligada al cuerpo de Jesús, está ligada a la salvación del alma y tú honras a Dios con ese cuerpo y cuando el diablo venga y lo enferme, sánate en el nombre de Jesucristo, que en la cruz El llevó la enfermedad y "por Su llaga fuimos nosotros curados" Isaías 53:5.

Vamos a terminar contestando la pregunta ahora. ¿Cuántos creen por la Palabra que realmente debemos depender de Dios para la sanidad? Hermano, yo lo creo con todo mi corazón y Dios no me ha fallado nunca, ni me fallará. Líbreme el Señor de juzgar a nadie que vaya al médico. Dios no me llamó a juzgar a nadie. Los hermanos que yo sé que van a los médicos y al hospital, yo oro por ellos de todo corazón: "Señor, el hermano parpadeó, él es débil como yo, se puede equivocar, sánalo allá por tu misericordia". Por nada los juzgo ni los critico. Predico la Palabra, enseño la Palabra y esta Palabra es la que imparte la fe.

CULTIVA TU FE

No permitas que el diablo te saque esta semilla, porque esto es una semilla que entra y se incrusta en el corazón del hombre, y tú tienes esa semilla sembrada ahí, pero no le permitas a ese diablo que te saque esa semilla. Para eso, saca un ratito continuamente y relee todos estos textos de sanidad. Apréndete de memoria una o dos docenas de ellos, y a cada rato párate como un buen declamador y repíteselos al diablo en la cara y cuando venga un síntoma, empieza a hablarlos y a gozarte, porque tú estás sano por la Palabra. Y si tú vives eso, hermano, no hay diablo que te pueda doblar con una enfermedad y tú estarás sano siempre y serás un ejemplo para la iglesia del Señor. La Palabra es vida para los que la hallan y medicina para todo nuestro cuerpo.

"BAILE DE SAN VITO"

En mi hogar, con la misma niña; Doris, cuando tenía como siete u ocho años, el diablo le lanzó un ataque terrible y le puso el "baile de San Vito". Eso es, conforme a los médicos, un virus que ataca los nervios y empieza a paralizar a la persona, y cuando a la nena la atacó eso ya yo estaba prevenido por el

Señor. Una noche yo estaba dormido y de pronto el Señor entró en el cuarto. Levantó la mano abierta y me dio un golpe fuerte en la planta de los pies. Cuando esa mano me golpeó así, yo di un salto y caí sentado en la cama. Entonces el Señor se me paró al lado y me dijo: "No temas lo que vas a ver, que yo estoy contigo". Yo estaba muy alerta y dije: "Algo grande va a pasar". El Señor se desapareció y yo empecé a orar. Pasados algunos días; me puse en ayuno. Cuando Dios previene, uno no se puede descuidar.

De pronto aparecieron los síntomas a la niña. Cuando agarraba algo, la mano le brincaba y se le caía. Empezaron a caérsele los vasos y la mamá la regañaba. Yo le dije a mi esposa: "Ten cuidado, que yo noto que hay algo raro en ella". Según se fue poniendo peor nos dimos cuenta que sus nervios estaban afectados y no podía ni mantener ya un papel en las manos. Todo lo que trataba de sostener, se le caía. No controlaba la quijada y cuando le introducían el alimento en la boca se le salía. Era algo horrible. Al pasar los días, quedó en tal forma que las piernas se le cruzaban al caminar y se caía y ardía en fiebre. Yo llevaba en ayuno varios días, y dije: "Señor, esto fue lo que tú me avisaste, pero no temo, tú estás conmigo. Mi hija está sana por tu Palabra".

No es lo que veas, es lo que creas. Si tú vives por tus sentidos naturales estarás siempre fracasado espiritualmente. Tienes que vivir por la fe, porque la Biblia dice: que no es por vista que andamos, sino por fe.

"Está sana, Señor, tú la sanaste en la cruz, el diablo es un mentiroso". Yo seguí en ayuno sintiendo autoridad de Dios. Le puse las manos en la cabeza a la nena y reprendí. Le ordené al demonio que saliera, pero no era un demonio, eran muchos demonios. Salían de ella y se me metían a mí por la cabeza como agujas calientes. Muchas agujas calientes entraban en mi cabeza y tenía que quitarle las manos a la nena y ponerme yo las manos y reprenderlos de mí mismo. Dios dándome una lección muy objetiva y enseñándome, en la batalla contra Satanás, que no era un virus como dicen los médicos; sino una legión de demonios que se había apoderado de la niña.

ESPERANDO EN FE

Y ahí estuvimos en la batalla mi esposa y yo. Oramos y yo le decía a mi esposa: "¿Tú crees que Dios la sana?" "Seguro que sí, esperamos en Dios", decía ella. Yo lo hacía para probarla. Yo estaba predicando. Todas las noches dejaba la nena en mi casa, mi esposa se quedaba con ella y yo salía a predicar. Oraba por los enfermos y milagros gloriosos se operaban y al regresar encontraba esa tragedia en mi casa. Veía aquel cuerpecito tirado en la cama, tan delgadita. Ella era una nena gordita, bien linda. Ahora estaba flaquita, hasta daba miedo verla. Me miraba a los ojos como una lunática. Yo trataba de hablarle y su mirada estaba fija. Una cosa horrible. Yo decía: "Está sana por tu Palabra, el diablo es un mentiroso, está sana". Al cabo, como de nueve días, yo oraba una noche en una iglesia por muchas personas, y había una señora con un nene en los brazos. Cuando le puse las manos al nene, dije: "Señor, por el nene y por mi nena". Oré, reprendí y me fui. Cuando iba por la carretera guiando mi automóvil, oí la voz del Señor, cuando me dijo: "Mañana la nena come sola". Me bañé en lágrimas y dije: "Señor gracias, tú eres fiel y verdadero". Llegué a mi hogar, oré un rato, era tarde, mi esposa se había acostado. Me levanté a las cinco de la mañana y oré otro rato. A las ocho llamé a mi esposa y le dije: "Prepárale un cereal a la nena, siéntala a la mesa en la silla y ponle la cuchara en la mano, que el Señor me dijo anoche, que hoy iba a comer sola".

Ella no podía sostener un papel en las manos. La quijada no funcionaba, le poníamos la comida en la boca y se le salía. La sentamos a la mesa, mi esposa la sostenía. Le pusimos la cuchara en la mano y la mano quedó firme con la cuchara sostenida. Abrió la boquita, la primera cucharadita de avena se la introdujo en la boca, y según la comía, mi esposa y yo llorábamos dándole gracias a Dios. "Señor, sabíamos que estaba sana, el diablo es un mentiroso y tu Palabra es verdad". La gloria es para El.

DOS MUNDOS OBSERVAN LA BATALLA

Cuando yo oraba después de rodillas, dando gracias a Dios, el Espíritu de Dios me habló y me dijo: "Mi siervo, dos mundos observaban la batalla, mis ángeles y yo, y el diablo y sus ángeles. El diablo me decía: "A que va al médico, a que va al especialista, a que no cree tu Palabra, a que duda". Y yo le decía: "A que espera en mí". Mira, hermano, es mejor morirnos e irnos para el cielo que avergonzar el nombre del Señor. Tú tienes las armas espirituales poderosas para derribar fortalezas, la Palabra de Dios, la oración de fe, el ayuno y la que Dios nos ha dado para esperar en fe hablando victoria, y Dios nunca fallará en cumplir ninguna de Sus buenas promesas.

Dios ha prometido sanar nuestras enfermedades. Son promesas para Sus hijos. No te resignes a estar enfermo. Revélate contra la enfermedad. Habla solo la Palabra y muévete como sano.

Es necesario entregarnos a Cristo de corazón. Cuando tú rindes tu corazón a Cristo y le aceptas como Salvador, Su sangre te limpia de pecado y vienes a ser un hijo de Dios. El no fallará entonces en sanarte, si tú se lo pides. Acepta a Cristo como tu Salvador y reclama Sus promesas. Sé sano ahora. El Señor te dice: "Yo soy tu sanador".

CITAS BIBLICAS SOBRE LA FE Y LA SANIDAD DIVINA

Exodo 15:26

Si oyeres atentamente la voz de Jehová tu Dios, e hicieres lo recto delante de sus ojos, y dieres oído a sus mandamientos, y guardares todos sus estatutos, ninguna enfermedad de las que envié a los egipcios te enviaré a ti; porque yo soy tu sanador.

Exodo 23:25-26

Mas a Jehová vuestro Dios serviréis, y él bendecirá tu pan y tus aguas; y yo quitaré toda enfermedad de en medio de ti. No habrá mujer que aborte, ni estéril en tu tierra; y yo completaré el número de tus días.

Salmo 113:9

El hace habitar en familia a la estéril, que se goza en ser madre de hijos.

Salmo 103:3

El es quien perdona todas tus iniquidades, El que sana todas tus dolencias.

Isaías 53:4-5

Ciertamente llevó él nuestras enfermedades, y sufrió nuestros dolores; y nosotros le tuvimos por azotado, por herido de Dios y abatido. Mas él herido fue por nuestras rebeliones, molido por nuestros pecados; el castigo de nuestra paz fue sobre él, y por su llaga fuimos nosotros curados.

Jeremías 33:6

He aquí que yo les traeré sanidad y medicina, y los curaré, y les revelaré abundancia de paz y de verdad.

Mateo 8:17

Y sanó a todos los enfermos; para que se cumpliese lo dicho por el profeta Isaías, cuando dijo: El mismo tomó nuestras enfermedades, y llevó nuestras dolencias.

1 Pedro 2:24

Quien llevó él mismo nuestros pecados en su cuerpo sobre el madero, para que nosotros, estando muertos a los pecados, vivamos a la justicia; y por cuya herida fuisteis sanados.

3 Juan 2

Amado, yo deseo que tú seas prosperado en todas las cosas, y que tengas salud, así como prospera tu alma.

Salmo 91:9-10,16

Porque has puesto a Jehová, que es mi esperanza, al Altísimo por tu habitación, no te sobrevendrá mal, ni plaga tocará tu morada. Lo saciaré de larga vida, y le mostraré mi salvación.

Santiago 5:14-15

¿Está alguno enfermo entre vosotros? Llame a los ancianos de la iglesia, y oren por él, ungiéndole con aceite en el nombre del Señor. Y la oración de fe salvará al enfermo, y el Señor lo levantará; y si hubiere cometido pecados le serán perdonados.

Salmo 107:19-22

Pero clamaron a Jehová en su angustia, y los libró de sus aflicciones. Envió su palabra, y los sanó, y los libró de su ruina. Alaben la misericordia de Jehová, y sus maravillas para con los hijos de los hombres, ofrezcan sacrificios de alabanza, y publiquen sus obras con júbilo.

Gálatas 3:13

Cristo nos redimió de la maldición de la ley, hecho por nosotros maldición (porque está escrito: Maldito todo el que es colgado de un madero).

1 Corintios 6:20

Porque habéis sido comprados por precio; glorificad, pues, a Dios en vuestro cuerpo y en vuestro espíritu, los cuales son de Dios.

Isaías 55:11

Así será mi palabra que sale de mi boca, no volverá a mí vacía, sino que hará lo que yo quiero, y será prosperada en aquello para que la envié.

Lucas 7:7, 9-10

Dijo el Centurión: ...pero di la palabra, y mi siervo será sano. Al oír esto, Jesús se maravilló de él, y volviéndose, dijo a la gente que le seguía: Os digo que ni aun en Israel he hallado tanta fe. Y al regresar a casa ... hallaron sano al siervo que había estado enfermo.

Juan 10:10

El ladrón no viene sino para hurtar y matar y destruir; yo he venido para que tengan vida, y para que la tengan en abundancia.

Jeremías 32:27

He aquí que yo soy Jehová, Dios de toda carne; ¿habrá algo que sea difícil para mí?

Marcos 9:23

Jesús le dijo: Si puedes creer, al que cree todo le es posible.

Hechos 10:38

Dios ungió con el Espíritu Santo y con poder a Jesús de Nazaret, y ... éste anduvo haciendo bienes y sanando a todos los oprimidos por el diablo.

Mateo 15:30-31

Y se le acercó mucha gente que traía consigo a cojos, ciegos, mudos, mancos, y otros muchos enfermos; y los pusieron a los pies de Jesús y los sanó; de manera que la multitud se maravillaba, viendo a los mudos hablar, a los mancos sanados, a los cojos andar, y a los ciegos ver; y glorificaban al Dios de Israel.

Mateo 8:2-3

Y he aquí vino un leproso y se postró ante él, diciendo: Señor, si quieres, puedes limpiarme. Jesús extendió la mano y le tocó, diciendo: Quiero; sé limpio. Y al instante su lepra desapareció.

Hebreos 13:8

Jesucristo es el mismo ayer, y hoy, y por los siglos.

Marcos 11:24

Por tanto, os digo que todo lo que pidiéreis orando, creed que lo recibiréis, y os vendrá.

Hebreos 11:1,6

Es, pues, la fe la certeza de lo que se espera, la convicción de lo que no se ve. Pero sin fe es imposible agradar a Dios; porque es necesario que el que se acerca a Dios crea que le hay, y que es galardonador de los que le buscan.

Romanos 4:17

[Dios] y llama a las cosas que no son como si fuesen.

Salmo 115:9,11

Oh Israel, confía en Jehová; El es tu ayuda y tu escudo. Los que teméis a Jehová, confiad en Jehová.

Hechos 3:6,8

En el nombre de Jesucristo de Nazaret, levántate y anda. Y aquel hombre, cojo de nacimiento, saltando, se puso en pie y anduvo; ...y entró con ellos en el templo, andando, y saltando, y alabando a Dios.

En este momento, levántate, ...actúa en fe. Habla fe y declárate sano ... y dale gracias a Dios por tu sanidad porque así te dice el Señor:

Proverbios 4:20-22

Hijo mío, está atento a mis palabras; inclina tu oído a mis razones. No se aparten de tus ojos, guárdalas en medio de tu corazón; porque son vida a los que las hallan, y medicina a todo su cuerpo".

Deuteronomio 6:9

Y escríbelas en los postes de tu casa y en tus puertas.